かいて けって

新島誠

てで　かいて
あしで　けって

てで　かいて　あしで　けって

きょうは　ひらおよぎを　おそわったよ
かいて　けって　かいて　けって

かいて

けって

かいて

けっ…

かいて　けって

かいて　けって

かいて　けって

かいて　けって

かいて　けって

ひとやすみ

かいて　けって　かいて　けって

かいて　けって　かいて　けって

ママ　おかえり

かいて　けって

新島誠（にいじままこと）
1966年、埼玉県生まれ。
千葉大学大学院工学研究科工業意匠学専攻課程修了。
家族は妻と娘2人。
電機メーカーのUIデザイナーとして勤務しながら2018年、
東京ブックサポート主催の「えほんみち」で絵本制作を学ぶ。
2019年、本作で第5回えほんみち新人絵本オーディション大賞を受賞。
本作が初めての絵本。

かいて　けって

新島誠

2020年2月　初版第1刷

発行者　早川裕

発行所　株式会社　集文社
〒160-0022　東京都新宿区新宿1-2-1
　　　　　　　新宿御苑前マンション407
TEL：03-5357-7361　FAX：03-5357-7362
http://shubunsha.net/

装幀・DEEWORKS 木村太亮
印刷・製本 モリモト印刷株式会社

ⓒ Makoto Niijima
2020 Printed in Japan NDC913 32P. 19×24cm
ISBN：978-4-7851-0335-4 C0095